>>>>>>>>>>  "디지털 창업의 시작, 온라인으로 성공 단계 나아가기"

AI와 함께하는
자동 수익화 시스템

한만호 지음

사람이 아니라
자동수익화가
일하게 하라!

월300부터 시작하자!

AI와 함께 하는 자동 수익화 시스템

(50 대도 도전하는 자동 수익화 과정)

AI와 함께 하는 자동 수익화 시스템

발 행 | 2023년 12월 11일

저 자 | 한만호

펴낸이 | 한건희

펴낸곳 | 주식회사 부크크

출판사등록 | 2014.07.15(제2014-16호)

주 소 | 서울특별시 금천구 가산디지털1로 119 SK트윈타워 A동 305호

전 화 | 1670-8316

이메일 | info@bookk.co.kr

ISBN | 979-11-410-5889-0

www.bookk.co.kr

AI와 함께하는

자동 수익화

시스템

(50 대도 도전하는 자동 수익화 과정)

한만호 지음

CONTENT

에필로그

프롤로그

매출 감소에 시달리는 소상공인들 코로나 이후 경제적 어려움에 직면하고 있습니다. 그 이유를 고민해보았습니다. 동네 장사에서 코로나 이후의 시대는 온라인 시장으로의 전환이 불가피해지고 있습니다.

코로나 이후 소비가 온라인 시장으로 이동하면서, 기존의 상권인 오프라인 시장의 자영업자들은 극심한 매출 감소로 힘겨워하고 있습니다.

이에 대한 해결책을 제시하고자, 전자책 을 쓰게 되었습니다. 오프라인 비즈니스에서 온라인으로의 전환은 어려운 여정이지만, 반드시 이루어져야 하는 필수적인 목표입니다.

이 책에서는 자본 없이 시작할 수 있는 온라인 사업을 제시합니다. 전자 책 만들기로 수익을 내는 방법 등 다양한 전략을 다룹니다. 자영업자들은 자신의 노력에도 불구하고 경제적인 어려움에 놓여 있지만, 온라인으로의 전환을 기존의 노하우와 결합하여 새로운 수익 창출로 나아가야 합니다.

책에서는 AI 자동 수익화를 통해 경제적 자유를 찾아가는 방법도 소개됩니다. 이를 통해 소상공인들은 기존의 힘들었던 경제적 상황에서 벗어나 새로운 가능성을 모색할 수 있을 것입니다. 책을 통해 독자들이 현재의 어려운 상황을 극복하고 미래에 대비할 수 있도록 진심으로 바랍니다.

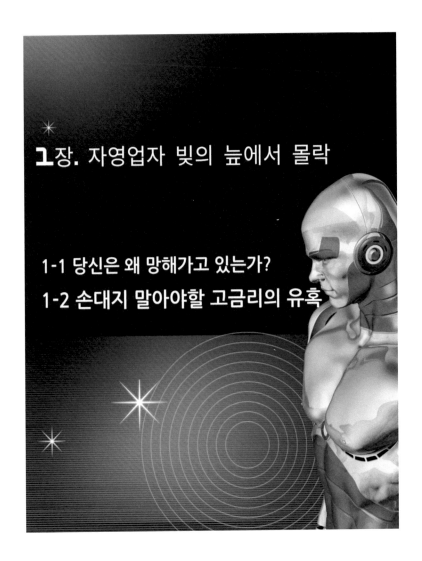

1장. 자영업자 빚의 늪에서 몰락

1-1 당신은 왜 망해가고 있는가?

1-2 손대지 말아야할 고금리의 유혹

1-1 당신은 왜 망해 가고 있는가?

올해로 장사 21 년 차 입니다. 남은 건 빚뿐입니다.
2002 년경 지방의 한 소도시에 창업을 했습니다.
대출금<약 3000 만원>과 함께 주변 지인 분들
도움으로 장사를 시작하게 되었습니다. 장사
초기에는 충성스런 고객, 매출 증가로 성장세를 이어
갔습니다. 창업을 하며 받은 대출금 3000 만원을

갚은 데 2 년이 지나는 시점에 모두 상환 할 수 있었습니다.

2017 년경 부동산 투자로 부족한 비용 약 9000 만원 대출이 생겼습니다. 은퇴 후 활용할 목적으로(노후연금) 무리 해서 매입을 한 것 입니다. 대출금은 열심히 일을 한다면 상환은 문제없을 거라 생각을 했습니다.

세상일이 모두 마음먹은 대로 풀린다면 얼마나 좋을까요?
매장 주변으로 동종 업계의 샵 들이 우후죽순 생겨났습니다.

경쟁력을 갖추기 위해서, 시설과 물건들을 늘리면서 대략 5000 만원의 빚이 늘었습니다. 이 빚들을 빠른 시일 내로 갚을 수 있을 거라 생각을 했습니다.

흔히 시민들이 하는 말로는 이때 까지는 그래도
먹고 살만 했습니다.

코로나 19 가 시작되고, 지금까지 이어져 오며
고통스러운 날을 보내게 될 줄 은 몰랐습니다.

2020 년 시작된 코로나 19 가 급격히 확산 됐습니다.
상황은 매우 심각해져 5 인 이상 집합금지,마스크
의무착용, 언론매체 에서는 긴박한 상황을 연일
보도합니다. 긴장과 공포스러운 분위기가 확산되어
갔습니다.

코로나는 국민들의 삶을 바꾸어 버렸습니다.
여행, 극장영화 관람 등 외부활동은 감소했습니다,
넷플릭스 이용, 온라인 쇼핑을 이용하면서
집에 머무르는 시간이 많아졌습니다.

매장의 방문하시는 손님들의 발길은 뚝 끈기며 매출감소로 이어져 힘겨운 시간을 보내게 되었습니다.

코로나 19 로 인한 자영업자들은 소득 및 매출 부진에 대응하여 정부는 지역 신용재단을 통해 정부 금융지원조치 등을 바탕으로 금융기관 대출을 확대하여 자금난을 일시적으로 해결 했습니다.

코로나 19 의 혹옥한 시련기를 지나면서 총대출금은 3 억 원 가량의 빚이 생겨났습니다. 2022 년 4 월 사회적 거리 두기가 완전히 해제 되면서 매출 회복을 기대했지만
경기회복은 하지 못하고. 경기침체가 찾아 왔습니다. 솟아오르는 고금리 치솟는 인플레이션으로 시장 상황은 더욱더 나빠져만 갔습니다.

사회적 거리 두기는 사람들에게 큰 변화를 가져왔습니다.

사람들은 오프라인보단 온라인을 선호하는 경향을 보이게 됐다.

이는 온라인을 준비하지못한 자영업자에겐 큰 위기로 다가왔습니다. 매장에 손님이 오지 않기 때문에 매출 감소로 이어져 소득이 줄어드는 결과로 남았습니다.

이러한 상황에서 대출금리가 상승하고 늘어난 이자부담으로 대출 상환은 생각하지도 못하고 이자만 내는 것도 부담스러운 상황으로 이어졌습니다. 폐업도 고려해보는 상황 이지만 그 동안 들어간 자금과 대출금을 생각한다면 특별한 대안이 없습니다. 얼마 지나지 않아 나아지겠지 하는 기대를 갖고 장사를 이어 나가고 있습니다.

장사라 는 게 시작도 어렵지만, 그만 두기도 쉽지 않은 상황입니다.

1-2 손대지 말아야할 고금리의 유혹

코로나 종료 이후 2023 년 11 월 현재, 경기불황으로 이어져 개인 사업자, 서민도 힘든 한 해가 되고 있습니다. 2024 년 역시 고물가, 고금리가 지속 될 거 라는 전망 속에 내년에도 살림살이 가 나아질 기미는 보이지 않습니다.

경제 전문가 예측으로 2024 년 경제 성장률을 2%에 머물 거라는 전망입니다. 이러한 불확실성 속에 코로나 이후 늘어난 빚의 원금은커녕 이자 감당조차도 힘듭니다. 신문과 뉴스 기사를 내용을 보면 다중 채무자가 급격히 늘어나고 있습니다.

다중 채무자란 세 곳 이상의 금융 회사에서 돈을 빌린 사람을 말합니다.
여러 금융기관으로부터 대출을 받고 있어 채무 불이행의 위험성이 높습니다.

세 곳 이상의 금융 회사에 빚을 진 다중채무 자영업자가 178 만 명 입니다. 대출 연체 액 은 3 배 이상 늘어 13 조원 이상입니다.

벼랑 끝에 내몰린 영세사업자들은 이른바 돌려 막기 대출로 버티고 있습니다. 점점 한계 상황으로 몰리고 있습니다.

연체자 증가로 이어져 자영업자발 금융위기설 까지 언론매체에서 보도를 하고 있습니다

월말이 되어 물품대금, 은행이자, 공과금 등 납부시기가 되면 고금리대출(카드론,저축은행) 유혹이 손짓을 합니다.

앞으로의 시간이 더 큰 문제입니다, 지금 까지는 어떻게 버티어 왔지만 고금리 속의 힘겨운 날들을 살아가야 한다니 가슴부터 답답해집니다.

이렇게 어려운 시기를 버티기 위해서 오프라인에서 온라인으로의 전환은 필수이며 지금 상황에서 벗어날 수 있는 유일한 탈출구입니다.

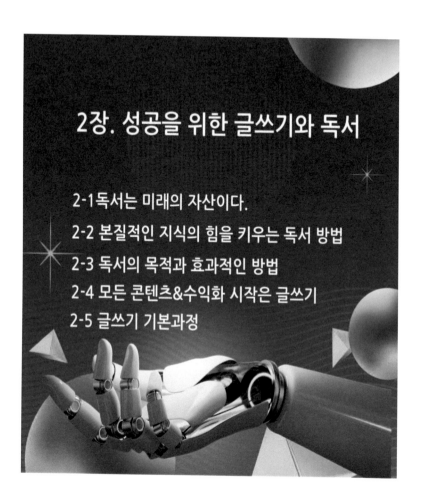

2장. 성공을 위한 글쓰기와 독서

2-1독서는 미래의 자산이다.

2-2 본질적인 지식의 힘을 키우는 독서 방법

2-3 독서의 목적과 효과적인 방법

2-4 모든 콘텐츠&수익화 시작은 글쓰기

2-5 글쓰기 기본과정

2-1 독서는 미래의 자산이다.

미래에 대비하고 지적 자산을 쌓기 위한 가장
효과적인 수단 중 하나는 독서입니다. 독서는
우리에게 지식을 제공할 뿐만 아니라 창의력을
향상시키고 미래에 대한 통찰력을 확장시킵니다.
이는 개인적인 성장과 직업적인 성공에 기여하는 데
큰 역할을 합니다.

첫째로, 독서는 우리에게 폭넓은 지식을 제공합니다.
다양한 주제의 책을 통해 우리는 세계의 다양성을

이해합니다. 여러 분야에서 전문성을 갖추게 됩니다. 이는 문제 해결 능력을 향상시키고 다양한 상황에서 유연하게 대처할 수 있는 기반이 됩니다.

둘째로, 독서는 창의력을 촉진시킵니다. 소설이나 시 등의 문학 작품은 상상력을 자극하고 새로운 아이디어를 발전시킵니다. 이는 미래의 도전에 대비하고 혁신적인 해결책을 찾는 데 중요한 역할을 합니다.

또한, 독서는 미래에 대한 통찰력을 제공합니다. 세계는 끊임없이 변화하고 발전하고 있으며, 이에 대한 이해는 미래에 대한 예측과 대비를 가능하게 합니다. 현재의 동향을 파악하고 미래의 흐름을 예측하는 것은 성공적인 결정을 내리고 삶을 더 효율적으로 계획하는 데 도움이 됩니다.

종합하면, 독서는 미래의 자산으로서 우리에게 끊임없는 성장과 발전의 기회를 제공합니다. 다양한 도서를 통해 얻은 지식과 통찰력은 우리의 가치를 높이고 미래에 대한 자신감을 부여합니다. 따라서 지금부터 독서 습관을 기르는 것은 우리 자신과 미래를 위한 투자로 이어질 것입니다.

2-2 본질적인 지식의 힘을 키우는 독서 방법

책을 처음부터 끝까지 빠르게 훑어보면서 대략적인 내용을 파악하세요. 세부 내용에 집중하기 전에 전체적인 흐름을 이해하는 데 도움이 됩니다.

배운 지식을 다른 사람들과 토론하며 이야기하는 것은 지식을 깊이 이해하고 정리하는 데 도움이 됩니다. 상호작용을 통해 새로운 관점을 얻을 수 있습니다.

독서와 학습의 최종 단계로, 글을 쓰면서 자신의 생각과 지식을 체계적으로 정리하고 표현하는 능력을 키워보세요. 이는 학습의 마무리와 동시에 자신의 지식을 다른 이들과 공유할 수 있는 기회가 됩니다.

이러한 독서 법을 따라 실천하면, 높은 이해도와 지식뿐만 아니라, 다양한 분야에서 전문가로 성장하는 기반을 마련할 수 있습니다.

2-3 독서의 목적 과 목표설정 효과적인 방법

독서 목표 설정
독서는 명확한 목표를 가지고 이루어져야 합니다.
돈을 모으는 목표가 있다. 그 다음에는 돈을 어떻게

활용할지에 대한 계획을 세우는 것이 중요합니다. 독서는 목표에 따라 그 가치를 발휘할 수 있습니다.

개인 맞춤형 독서

다른 사람을 기준으로 삼아서 독서하는 것은 피해야 합니다. 각자의 필요와 레벨에 맞는 독서가 중요합니다. 모두가 똑같은 길을 걷는 것이 아닙니다. 자신에게 필요한 지식과 능력을 향상시킬 수 있는 독서를 찾아야 합니다.

독서의 효율적인 방법

독서는 자기계발과 지식 습득을 위한 효율적인 방법을 찾는 과정입니다. 목표를 가지고 필요한 지식을 정확히 찾아 읽는 것이 중요합니다. 이것이 지속 적인 변화와 성공을 가져올 것입니다. 독서에 관심 있는 이들에게는 도전과 성공의 영감을 받을 수 있는 기회가 될 것입니다.

2-4 모든 콘텐츠&수익화 시작은 글쓰기

글쓰기는 모든 콘텐츠의 시작이자 핵심입니다. 어떤 형태의 콘텐츠든 간에, 강력하고 효과적인 글쓰기는 정보를 전달합니다.

이해를 돕는 데 중요한 역할을 합니다. 이에 대한 중요성을 살펴보고, 글쓰기가 어떻게 모든 콘텐츠의 핵심이 되는지 살펴보겠습니다.

글쓰기는 모든 콘텐츠의 기반이 됩니다. 블로그 글, 뉴스 기사, 소설, 영화 대본, 콘텐츠의 기반 캠페인, 강의 스크립트 등 다양한 형태의 콘텐츠는 글쓰기를 기반으로 합니다. 효과적인 글쓰기는 다양한 매체에서 강력한 메시지를 전달하는 핵심 기술입니다.

정보의 전달과 이해 촉진

글쓰기는 정보를 전달하고 이해를 돕는 주요 수단입니다. 명확하고 간결한 글쓰기는 독자나 청취자에게 복잡한 개념이나 아이디어를 전달하는 데 도움을 줍니다. 이를 통해 콘텐츠의 목적을 달성하고 독자와의 소통을 강화할 수 있습니다.

감정과 연결을 형성

강력한 글쓰기는 독자와 감정적으로 연결되는데 기여합니다. 감동적인 이야기, 감정적 표현, 또는 독자와의 공감을 이끌어내는 표현은 콘텐츠를 더욱

생동감 있게 만듭니다. 이러한 감정적 연결은 콘텐츠의 영향력을 크게 높입니다.

다양한 매체에 적용 가능

글쓰기는 다양한 매체에 적용될 수 있습니다. 텍스트뿐만 아니라 이미지, 음성, 비디오 등 다양한 형식의 콘텐츠에서도 글쓰기의 원리와 기술이 적용됩니다. 적절한 글쓰기 기술을 활용하면 각 매체에서 높은 효과를 얻을 수 있습니다.

브랜드 메시지와 일관성 유지

기업이나 개인 브랜드의 메시지를 효과적으로 전달하려면 일관성 있는 글쓰기가 필요합니다. 웹사이트 콘텐츠, 소셜 미디어 게시물, 광고 캠페인 등에서 일관된 글쓰기 스타일을 유지함으로써 브랜드의 신뢰성을 높이고 인식을 강화할 수 있습니다.

2-5 글쓰기 기본 과정

주제를 먼저 정합니다.
글을 쓰기 전에 주제를 정하는 것은 글의 방향을
결정짓는 중요한 단계입니다. 자신의 관심사와
독자의 니즈를 고려하여 글의 목적을 명확히 합니다.
그에 따라 구조를 잡아보세요.

자료 수집
풍부한 자료 수집은 글을 더욱 강력하게 만듭니다.
신뢰성 있는 출처에서 다양한 자료를 찾아보고,
다양한 시각에서의 정보를 수집하여 글의 깊이와
폭을 높여보세요.

자신의 경험담을 쓴다.
자신의 경험을 스토리로 풀어내면 독자들은 더욱 쉽게 공감할 수 있습니다. 감동적이거나 유익한 경험을 통해 독자들과 공감대를 형성해봅니다.

짧은 글은 리듬감 있고 읽기가 편하다.
간결한 글쓰기는 독자의 이해를 돕고 흥미를 유발합니다. 필요한 내용을 정확하게 전달합니다. 과하게 장황한 표현을 피하고 간결한 문장으로 표현해봅니다.

쉬운 단어를 사용합니다.
전문 용어나 어려운 표현을 피하고, 독자가 이해하기 쉬운 언어로 글을 쓰세요. 비전문가도 쉽게 따라올 수 있는 내용으로 설명합니다.

인터넷, AI 의 검색기능 으로
글을 쓰다가 막힐 때는 인터넷 검색, 챗지피티(ChatGPT)을 활용해봅니다. 막힌 부분과 관련된 키워드로 검색하면 새로운 아이디어나 관점을 찾을 수 있을 것입니다.

초고는 편하게

초고는 마음 편하게 씁니다. 그 후 여러 차례 퇴고를 통해 문장의 흐름과 문법을 개선하고, 내용의 일관성을 유지해보세요. 견고한 퇴고를 통해 완성도 높은 글을 만들어봅시다.

집필은 자신만의 공간에서

글쓰기는 때때로 어려운 작업일 수 있습니다. 이때는 강요보다는 마음을 편안하게 한다. 창의성을 자극할 수 있는 방법은 산책 후 자신만의 공간에서 집필을 합니다.

3-1 오프라인에서 온라인으로 전환

현 시대의 어려움과 변화에 대한 이해
코로나 시대는 많은 자영업자 뿐 아니라 일반
서민들까지도, 경제적 어려움에 직면하고 있는
힘겨운 시기입니다.

사회 전반에 걸친 거리 두기와 통제 조치로 인해
오프라인 비즈니스는 큰 타격을 입었습니다. 이로
인해 수많은 사업자들이 매출 감소와 현금 흐름의
악화로 인한 어려움에 직면하고 있습니다

온라인 시장으로의 적응이 필수인 이유
이러한 어려운 상황에서 온라인 시장으로의 적응은
필수적입니다.

코로나 이후 소비 트렌드는 온라인으로 급격히
이동하면서, 소상공인들은 온라인에서의 존재와
경쟁력을 확보해야 합니다.

온라인 시장은 물리적인 제약이 적고 글로벌 시장에
손쉽게 접근할 수 있는 장점이 있습니다. 이에 따라
많은 사업자들이 온라인으로의 전환을 시도하고
있습니다.

오프라인에서 온라인으로의 전환 전략

전자책 출간을 통한 수익 창출 방법
오프라인 비즈니스에서 온라인으로의 전환을 위한
한 가지 효과적인 전략은 전자책 출간입니다.

전자책 은 비교적 낮은 제작 비용과 높은 유통 효율성을 가지고 있어, 제품 또는 서비스와 관련된 가치 있는 내용을 제공함으로써 수익을 창출하는 효과적인 방법입니다.

효과적인 콘텐츠 생산 전략
전환의 핵심은 콘텐츠 생산에 있습니다. 소상공인은 자신의 독특한 노하우와 경험을 바탕으로 가치 있는 콘텐츠를 생산할 수 있습니다.

이는 블로그 글이나 소셜 미디어를 활용하여 자사의 브랜드를 강화하고 온라인에서의 가시성을 높이는 데 기여할 것입니다.

자동 수익화의 시작과 유지

전자책을 통한 지속적인 수익 모델
전자책을 출간하면 지속적인 수익 모델을 구축할 수 있습니다. 이는 초기 투자 이후에도 계속해서 판매되는 장점이 있습니다.

또한 전자책을 통해 자사의 브랜드 인지도를 증가시키고 전문성을 과시함으로써 다양한 수익 창출 기회를 모색할 수 있습니다.

콘텐츠 생산의 효율적인 시스템 구축
자동 수익화를 위해서는 콘텐츠 생산의 효율적인 시스템을 구축해야 합니다.

효율적인 계획과 생산 프로세스를 통해 지속적으로 새로운 콘텐츠를 생산하고 유지함으로써 독자들과의 관계를 유지하고 새로운 수익의 원천을 창출할 수 있습니다.

블로그 글쓰기를 통한 자동 수익화의 원리
블로그 글쓰기를 통한 자동 수익화는 꾸준한 트래픽과 광고, 제휴, 스폰서십 등 다양한 수익 모델을 통해 이루어집니다.

풍부한 콘텐츠와 꾸준한 업데이트를 통해 블로그를 운영하면서, 독자들과의 상호 작용을 통해 자동으로 수익을 창출할 수 있습니다.

인터액티브 기능과 멀티미디어 콘텐츠
전자책은 텍스트 이상의 다양한 멀티미디어 요소를
포함할 수 있습니다.

인터액티브 기능, 오디오, 비디오 등의 부가 요소는
독자들의 관심을 끌고 더 높은 가치를 제공하여
수익을 증가시킵니다.

이러한 이유들로 인해 전자책은 출판 산업에서 매우
수익성 있는 영역으로 자리매김하고 있습니다.

그러나 또한 새로운 도전과 경쟁에 직면하고 있으며,
효과적인 마케팅과 품질 높은 콘텐츠 제공이 특히
중요합니다.

4장 나만의 노하우를 담은 전자책 만들기

4-1주제, 목차정하기

4-2자료조사 및 본문 쓰기

4-3판매

4-1 주제, 목차 정하기

전자책을 쓰기로 마음먹었을 때, 첫 번째 고민거리는 과제는 적절한 주제를 정하는 것입니다. 막연하게 아이디어를 찾지 못하면서 미루게 됩니다.

깊은 고민에 빠져 결국 생각만 하다가 작성을 포기하는 경우가 많습니다.

이럴 때에는 무작정이라도 글을 쓰는 것이 중요합니다. 글을 쓰며 동시에 관련 자료를 찾아보고 전문서적을 통해 공부합니다. 자연스럽게 자신이 어떤 주제에 흥미를 느끼는지, 무엇을 전하고 싶은지에 대한 인사이트를 얻을 수 있습니다.

주제를 정하는 기준 중 하나는 독자들이 좋아할 만한 주제를 찾는 것입니다. 독자들의 선호와 기호를 고려합니다. 내용을 선택하는 것은 독자들과의 소통을 강화하고 냉혹한 소비자 판단에 대비하는데 도움이 됩니다.

주제가 정해졌다면 이어서 목차를 만들어보세요. 목차는 일정한 패턴이 있기 때문에 인기 있는 전자책을 참고하여 몇 권 정도 보시면 어느 정도 이해할 수 있을 것입니다.

생각이 막힌다면 인공지능 AI 를 활용하여 프롬프트를 통해 대화하듯이 진행해보는 것도 좋은 방법입니다.

챗 지피티(ChatGPT)를 활용하면 다양한 프롬프트로 결과물이 달라지므로 여러 번 시도해보세요.

처음에는 시간이 걸리더라도 목차를 잘 정리해놓으면 본문 작성이 훨씬 수월해집니다.

목차가 확실하다면 작성의 흐름이 자연스럽게 이어지게 될 것입니다. 이를 통해 쓰는 과정이 더욱 유기적이고 의미있게 진행될 것입니다.

마침내 목차를 통해 주제의 핵심을 정리하면, 나만의 창의적인 내용을 빚어내기가 훨씬 용이해질 것입니다.

4-2 자료조사 및 본문 쓰기

주제와 목차가 확정되었다면, 이제는 본문을 쓰는 단계에 돌입해보겠습니다. 본문을 작성하기 위해서는 주제에 부합하는 다양한 자료를 조사하고 수집해야 합니다. 제가 통상적으로 사용하는 방법 중 하나는 유튜브에서 관련 영상을 찾아보는 것입니다.

시각적인 자료를 통해 주제를 더 명확하게 이해하고, 글에 필요한 아이디어를 얻을 수 있습니다.

또한, 구글 검색 엔진을 활용하여 다양한 정보를 찾아보고, 특히 전문서적을 통해 차별화된 내용과 깊은 통찰을 얻는 것도 좋은 방법 중 하나입니다.

본문을 쓰기 전 기획과 구성도 중요합니다.

글의 목적과 방향을 정확히 잡고, 자료들을 적절한 위치에 배치합니다.글의 구성과 기획이 잘 만들어 진다면 그 다음부터는 수월해 집니다.

전문서적은 특히 심도 있는 정보를 얻을 수 있는 소스로, 다른 사람들과 차별화된 결과물을 만들 수 있도록 도와줍니다. 뿐만 아니라, 챗지피티(ChatGPT)와 같은 인공지능 도구를 활용하여 창의적인 프롬프트를 통해 새로운 시각과 아이디어를 얻는 것도 효과적입니다.

이를 통해 독특하고 뚜렷한 결과물을 창출하여 전자책이 높은 인기를 얻을 수 있을 것입니다.

자료를 찾는 과정에서 어려움을 겪게 된다면, 그것 또한 성장의 기회입니다. 힘들게 느껴지는 시간을 공부와 지식 쌓기의 기회로 여기시면 좋습니다.

목차에 따라 자료를 정리하면서 본문을 기획하시면, 막연하게 쓰는 것보다 더 풍부하고 흥미로운 내용을 작성할 수 있을 것입니다. 자신의 글쓰기 실력도 쌓이고, 높아진 자신감으로 미래의 작품에도 보다 전문적으로 임할 수 있게 됩니다.

글을 작성하는 도중에 막히는 부분이 있습니다., 강제로 생각을 쥐어짜려고 하기보다는 짧은 산책이나 운동을 통해 기분 전환을 해보세요. 때로는 이러한 작은 휴식이 높은 창의성을 가져올 수 있습니다.

마지막으로, 집필 시에는 조용한 공간에서 작업하는 것이 집중도를 높일 수 있습니다. 시간에 쫓기지 않고 나만의 안식처에서 집필을 하면 몰입도가 최적화되어 최고의 결과물을 얻을 수 있을 것입니다.

본문을 처음으로 완성하게 되면 그 성취감과 내 실력 향상에 대한 뿌듯함이 마음 깊숙이 남을 것입니다.

여러분도 포기하지 마시고 , 끝까지 도전해 보시기를 바라며, 제 경험처럼 전자책 작성이 여러분에게 힘겨운 시기를 극복하는 데 도움이 되길 바랍니다.

최종적으로 꼭 성공하시길 기대하며 응원합니다.

4-3 판매하기

전자책 판매의 세 가지 방법
전자책을 판매하는 세 가지 방법을 알아보겠습니다.

1. 전자책 펀딩
초보자들에게 전자책 펀딩은 매우 유망한
방법입니다. 대표적인 펀딩 플랫폼으로는
와디즈(Wadiz)와 텀블벅(Tumblbug)이 있습니다.
전자책 펀딩을 통해 판매할 때의 장점은 다양합니다.

수요 파악: 전자책을 완성하기 전에 수요를 파악하고 시장성을 확인할 수 있습니다.
시장 실험: 펀딩 실패 시, 시장성이 약하거나 상세페이지의 설득력이 부족한 부분을 개선할 수 있습니다.

고정 기한 내 작업 완료: 수익을 확보한 상태이므로 정해진 기간 내에 최상의 퀄리티의 작업물을 제작할 수 있습니다.

저렴한 수수료: 와디즈와 텀블벅은 최대 15% 정도의 수수료로 비교적 저렴합니다.

와디즈와 텀블벅은 성격이 다르기 때문에 각각의 장점을 고려하여 선택할 수 있습니다.

전자책 펀딩 후의 전략: 두 가지 선택
초보자들이 전자책 펀딩을 통해 경험을 쌓은 후, 펀딩에 성공한 이후의 전략은 무엇일까요? 두 가지 주요 선택사항이 있습니다.

1. PDF 문서 형태로 판매하기

첫 번째로, PDF 문서의 형태로 크몽과 같은 재능 마켓에 입점하여 전자책을 판매하는 방법이 있습니다. 이 방법은 다양한 장단점을 가지고 있습니다.

자동화 가능성: 크몽과 같은 플랫폼에 입점하면 주문이 들어올 때 파일 전송까지 자동화되어 편리합니다.

지속적인 가격 상승: 후기가 쌓이면 가격을 올릴 수 있어 지속적인 수익 상승이 가능합니다.

정산의 신속성: 정산이 신속하게 이루어져 원할 때 수익을 받을 수 있습니다.
이 방법은 특히 자동화와 지속적인 수익 상승을 원하는 경우에 적합합니다.

2. 대형 서점에 입점하여 판매하기

두 번째로, 국제표준도서번호 ISBN 을 받고 교보문고, 알라딘 등 대형 서점에 입점하여 전자책을 판매하는 방법이 있습니다.

도서정가제 적용: ISBN 을 받을 경우 도서정가제가 적용되어 가격을 올리거나 10% 이상의 할인이 제한됩니다.

프로페셔널 이미지: 대형 서점에 입점하면 전자책이 더욱 전문적으로 보입니다.

다양한 서비스와 연계: 전자책을 컨설팅이나 강의 상담 등 다른 서비스와 함께 판매하여 다양한 상품으로 구성 가능합니다.

이 방법은 특히 프로페셔널한 이미지를 원하고 다양한 서비스와의 연계를 고려하는 경우에 적합합니다.

따라서, 주제와 타겟층, 연결된 서비스 등에 따라 어떤 방식이 더 효과적일지를 고려해 보시기를 권장합니다.

3. 스마트스토어 및 개인 쇼핑몰에서 판매
스마트스토어 등의 쇼핑몰에서 판매할 경우 ISBN 을 발급받으면 부가세 면제가 가능하지만, 가격 조절에 제약이 있습니다. 직접 전송해야 하는 번거로움은 있지만, 수수료가 낮아 마진율이 높습니다.

장단점 비교와 판매 방법 선택
펀딩 방법: 펀딩은 초기 시장 탐색과 자금 조달에 유용하며, 플랫폼의 자동화 기능이 장점입니다.

대형 서점 입점: 프로페셔널한 이미지와 넓은 시장에 접근 가능하지만, 가격 조절에 제약이 있습니다.

스마트스토어 판매: 가격 설정 자유로움과 높은 마진이 장점이지만, 파일 전송 번거로움이 있습니다.

전자책의 주제와 목적에 따라 적절한 판매 방법을 선택해보세요. 이러한 방법들은 전자책 저자로서의 경험과 수익을 다양하게 제공합니다.

5장. 콘텐츠 생산과 활용

5-1 콘텐츠의 역할과 사회적 가치

5-2 인공지능AI 와 미디어 콘텐츠 생산

5-1 콘텐츠의 역할과 사회적 가치

인공지능은 미디어 콘텐츠 생산 분야에서 점차적으로 더 중요한 역할을 하고 있습니다.
이 기술은 미디어 콘텐츠의 생성, 분석, 편집에 혁신적으로 사용되고 있습니다.

딥페이크 기술의 등장

'딥페이크' 기술은 얼굴이나 목소리 등을 합성하여 가짜 동영상을 만들어내는데 활용됩니다.

엔터테인먼트 산업에서 창조적인 콘텐츠를 만들어내는 데 적극적으로 활용되고 있습니다.

AI 작곡 기술

인공지능을 활용한 'AI 작곡' 기술은 이미지, 비디오, 음악 등의 다양한 콘텐츠를 생성합니다.

작곡가나 음악 프로듀서의 창작력을 보완하고, 창조적인 음악을 새롭게 만들어내는 데 도움을 줍니다.

자동화된 편집 기술

인공지능은 미디어 콘텐츠의 편집 작업에도 활용됩니다.

비디오 자동 편집이나 사진 자동 보정과 같은 기술은 생산성을 향상시키고 높은 수준의 콘텐츠를 빠르게 제작할 수 있도록 도와줍니다.

이처럼, 인공지능은 미디어 산업에서 혁신적인 변화를 가져오며, 창조적인 콘텐츠의 생산과 생산성

향상에 큰 기여를 하고 있습니다. 이 분야에서의 지속적인 발전으로 미디어 산업은 더욱 다양하고 풍부한 콘텐츠를 제공할 것으로 기대됩니다.

콘텐츠는 1-1 콘텐츠의 역할과 사회적 가치
디지털 시대의 중요한 중심요소로 부상하면서, 그 역할과 사회적 가치는 더욱 강조되고 있습니다. 이 글에서는 콘텐츠가 어떻게 사회적 영향을 미치며 어떠한 역할과 가치를 지니고 있는지 살펴보겠습니다.

결론
콘텐츠는 우리의 일상에 깊숙이 자리하며, 그 역할과 사회적 가치를 통해 우리 사회를 더 풍요롭고 다양하게 만들고 있습니다. 이는 더 나은 미래를 위한 기반이 되며, 콘텐츠 생산과 소비에 주목할 필요가 있습니다.

1-1 콘텐츠의 역할과 사회적 가치

디지털 시대의 중요한 중심요소로 부상하면서, 그 역할과 사회적 가치는 더욱 강조되고 있습니다. 이 글에서는 콘텐츠가 어떻게 사회적 영향을 미치며 어떠한 역할과 가치를 지니고 있는지 살펴보겠습니다.

엔터테인먼트와 문화 형성

영화, 드라마, 음악, 예술 등의 콘텐츠는 사회적인 즐거움을 제공하며 문화를 형성합니다. 이를 통해 다양한 관점과 가치관을 이해하고 공유할 수 있습니다.

소통과 연결의 매개체

소셜 미디어, 블로그, 온라인 포럼 등을 통해 콘텐츠는 사람들 간의 소통과 연결을 촉진합니다. 이는 다양한 사회적 그룹과의 상호작용을 가능하게 하며, 새로운 아이디어와 토론의 장을 열어줍니다.

콘텐츠의 사회적 가치

다양성과 연결성 강화

콘텐츠는 다양한 배경과 의견을 수용하고 보여줌으로써 사회적 다양성을 증진시키고 연결성 강화합니다. 이는 편견과 차별에 대한 인식을 촉진하며, 포용적인 사회를 형성하는 데 기여합니다.

사회적 문제 의식과 행동 유도

콘텐츠는 사회적 문제에 대한 인식을 높이고 긍정적인 변화를 유도할 수 있습니다. 영화나 다큐멘터리를 통해 사회적 문제에 대한 인식을 확장하고 봉사활동, 기부 등의 행동을 유도할 수 있습니다.
경제적 활성화와 창조적 산업 육성합니다.

창작자들이 다양한 콘텐츠를 생산함으로써 창조적 산업이 성장하고 경제적 활성화를 이끌어냅니다. 이는 일자리 창출과 경제적 가치 창출에 기여합니다.

결론

콘텐츠는 우리의 일상에 깊숙이 자리하며, 그 역할과 사회적 가치를 통해 우리 사회를 더 풍요롭고 다양하게 만들고 있습니다. 이는 더 나은 미래를 위한 기반이 되며, 콘텐츠 생산과 소비에 주목할 필요가 있습니다.

에필로그

이 책을 통해 현 시대의 도전과 기회를 다양한 각도에서 살펴보았습니다. 오프라인과 온라인의 경계가 희미해지고 있는 시대입니다 어려움은 변화의 전조일 뿐이며, 그 속에 기회가 숨어있습니다.

온라인 시장이 더욱 중요한 역할을 하고 있습니다. 우리는 이 변화에 적응하고, 오프라인에서 온라인으로의 전환 전략을 마련해 나가야 합니다. 그 중요성을 이해하고 이를 효과적으로 실행합니다. 경제적인 어려움을 극복하고자 하는 자영업자들에게 도움이 되길 바랍니다.

이 책은 자동 수익화의 시작에 관한 다양한 방법을 제시했습니다. 전자책, 콘텐츠 생산, 블로그 글쓰기 등을 통해 온라인에서의 수익 창출 방법을 탐구하고자 하는 분들 에게 실질적인 가이드가 되어 드릴 것입니다. 특히, 자영업자들은 기존의 노하우를 살려 효과적인 온라인 전환 전략을 구축할 수 있을 것입니다.이제 여러분은 독자들의 이해를 돕고 핵심을 강조하는 간결하고 명확한 글쓰기와 함께,

효과적인 콘텐츠 생산과 글쓰기를 통해 자동 수익화의 세계에 한 발자국 더 다가갈 수 있습니다.

마지막으로, 이 책을 통해 전자책 본문에 들어갈 내용의 구성 방법과 함께, 독자의 관심을 끄는 서문 작성과 명확한 구성의 중요성을 배웠습니다. 책의 결론에서는 독자들에게 강렬한 메시지를 전하며, 인상적인 마무리를 통해 독
자들에게 긍정적인 인상을 남기길 기대합니다.

시대의 흐름에 적응하지 못한 저 또한 어려운 상황에 놓여 있습니다.
모바일과 인터넷의 중요성을 느끼고 새로운 도전을 하는 과정입니다.
지금 현재도 공부하며 배우고 있습니다. 독자 님들과 같이 성장해 나갈 수 있기를 바랍니다.
설정한 목표를 향해 노력하며, 성취감을 느끼며 이루어 나갈 것입니다.

독자 여러분, 함께하는 이 시간이 여러분의 성공과 발전에 도움이 되기를 진심으로 바랍니다.
감사합니다.